Property of Hogwarts School Library	
Name of borrower	Date due back
O. Wood	9 April
B. Dunstan	16 May
M. Flint	22 June
C. Diggory	3 July
A. Johnson	19 July
E. Macmillan	12 August
T. Boot	21 August
S. Fawcett	16 September
K. Bundy	10 October
K. Bell	19 October
C. Warrington	13 November
J. Dorny	5 December
T. Nott	22 January
S. Capper	31 January
M. Bulstrode	6 February
F. Weasley	15 February
H. Granger	2 March
H. Potter	11 March

A warning: If you rip, tear, shred, bend, fold, deface, disfigure, smear, smudge, throw, drop or in any other manner damage, mistreat or show lack of respect towards this book, the consequences will be as awful as it is within my power to make them.

Irma Pince, Hogwarts Librarian

ホグワーツ校図書館蔵書	
借りた人	貸し出し期限
O. ウッド	4月9日
B. ダンスタン	5月16日
M. フリント	6月22日
C. ディゴリー	7月3日
A. ジョンソン	7月19日
E. マクミラン	8月12日
T. ブート	8月21日
S. フォーセット	9月16日
K. バンディ	10月10日
K. ベル	10月19日
C. ワリントン	11月13日
J. ドーニー	12月5日
T. ノット	1月22日
S. キャッパー	1月31日
M. ブルストロード	2月6日
F. ウィーズリー	2月15日
H. グレンジャー	3月2日
H. ポッター	3月11日

注意：この本を引き裂いたり、破ったり、ずたずたにしたり、曲げたり、折ったり、落書きしたり、外観をそこねたり、よごしたり、しみをつけたり、投げたり、落としたり、他のどんなやりかたにせよ、この本を傷つけたり、乱暴に扱ったり、大事にしなかったりするとその結果は、私の能力の及ぶかぎり恐ろしい目にあわせます。

ホグワーツ司書　イルマ・ピンス

謝　辞

　静山社とコミック・リリーフは、本書の発行に際し絶大なご協力をいただいた以下の皆様に、心より感謝申し上げます。

紀伊國屋書店／丸善／三省堂書店／リブロ／東京旭屋書店
旭屋書店／八重洲ブックセンター／ジュンク堂書店／ブックファースト
有隣堂／文教堂／アシーネ／カルチュア・コンビニエンス・クラブ
あおい書店／ブックストア談／青山ブックセンター／イオン／ブックバーン
よむよむ／マイカル／啓文堂／戸田書店／図書館流通センター
ブックワン／トップカルチャー蔦屋書店HIE'S／村山書店
くまざわ書店、いけだ書店／ブックエース／文真堂書店（順不同）
凸版印刷株式会社―本多信裕／松田栄作／鈴木絵理子
東京研文社―渡部　治
壇　ふみ
木村康子／中道律子／海老澤亜貴子／豊田　哲／河野正伸
河野恵子／木田　堯　　　　　　　　　　　　　（敬称略）

　最後に、この本を創り出したJ.K.ローリングが、その印税のすべてをコミック・リリーフにご寄付くださったことに感謝します。

　コミック・リリーフ（イギリス）は、1985年、イギリスのコメディアンたちが、社会正義を高揚させ、貧困との戦いを援助するためのプロジェクトに資金を集める目的で設立した。コミック・リリーフが集めた寄付は、その全額が、「セーブ・ザ・チルドレン」や「オックスファム」などの国際的に名を知られた組織を通じて、最もそれを必要としているところに送られる。
　本書の全世界での売上は、世界の最も貧しい国々の最も貧しい地域を救うために使われ、イギリスでの売上は、イギリスでのプロジェクトにも使われる。
　コミック・リリーフは慈善事業として登録されている。
登録番号３２６５６８

クィディッチ今昔

ケニルワージー・ウィスプ著

静山社

共同出版

Whizz Hard Books

129B DIAGON ALLEY, LONDON

ウィズ・ハード・ブックス
ロンドン、ダイアゴン横丁129B

Text copyright © J.K.Rowling 2001
Illustrations and hand lettering copyright © J. K. Rowling 2001
First published in Great Britain in 2001
Bloomsbury Publishing Plc, 38 Soho Square, London, W1D 3HB
All rights reserved
The moral right of the author has been asserted

推薦の言葉

ケニルワージー・ウィスプの労を惜しまぬ調査により、この魔法戦士のスポーツについて、これまでに知られていなかった貴重な宝が発見された。興味深い読み物である

「魔法史」著者
バチルダ・バグショット

ウィスプはまことにおもしろい本を書いてくれた。クィディッチ・ファンにとって、この本は役に立つと同時に楽しい読み物になるのはまちがいない

「賢い箒の選び方」編集者

クィディッチの起源と歴史についての決定版といえる。大いに推薦する

「ビーターのバイブル」著者
ブルータス・スクリムガー

ウィスプ氏は将来有望である。このようなよい仕事を続ければ、いつの日か、私と一緒に写真とってもらえるようになるのも、あながち夢ではない！

自伝「わたしはマジックだ」著者
ギルデロイ・ロックハート

ベストセラーまちがいなし。賭けてもいい。さあ、張った、張った。
イングランド及びウィンボーン・ワスプスのビーター
ルドビッチ・バグマン

ましな方だわね。

日刊予言者新聞　記者　リタ・スキーター

著者について

ケニルワージー・ウィスプはクィディッチ専門家（しかも、著者自身によれば、熱狂的ファン）として有名である。クィディッチ関係の著作としては、「奇跡のウィグタウン・ワンダラーズ」「飛ぶときゃ飛ばすぜ（「危険な野郎」ダイ・ルウェリンの伝記）」「ブラッジャーをぶっ飛ばせ——クィディッチの防衛戦略研究」がある。

ケニルワージー・ウィスプはノッティンガムシャーの自宅と、ウィグタウン・ワンダラーズの遠征先（毎週変わる）との間を往き来している。趣味はバックギャモン、ベジタリアン料理研究、クラシック箒の収集などである。

目　次

まえがき	11
第1章　飛行箒の進化	15
第2章　古代の箒競技	19
第3章　クィアディッチ湿原の競技	24
第4章　黄金のスニッチ登場	29
第5章　マグル対策	36
第6章　14世紀以降のクィディッチの変遷	39
競技場	39
ボール	42
選　手	46
ルール	51
審　判	55
第7章　イギリスとアイルランドのクィディッチ・チーム	57
第8章　クィディッチの世界的普及	67
第9章　競技用箒の発達	79
第10章　今日(こんにち)のクィディッチ	85

まえがき

「クィディッチ今昔」は、ホグワーツ図書館の蔵書の中でも人気の高い本であります。司書のマダム・ピンスが言うには、この本はほとんど毎日のように「踏んだり蹴ったり、涎を垂らされたり、散々な目に遭っている」——これこそ本に対する賛辞であります。定期的にクィディッチをプレーする者、観戦する者にとってはもちろんのこと、もっと広く魔法界の歴史に興味を持つ者にとっても、このウィスプ氏の著書は大いに楽しめるものであります。我々がクィディッチを発展せしめたと同様、クィディッチもまた我々を発展させたのであります。クィディッチは職業に関わりなく、すべての魔女、魔法使いを結びつけ、興奮を、勝利を、そして（チャドリー・キャノンズのファンにとっては）絶望の時を共にすることができるのです。

　この本がもっと広く読まれるよう複製したいので、蔵書を1冊提供してくれるよう、司書のマダム・ピンスを説き伏せるのは、かなり難しかったこ

とを告白せねばなるまい。実は、この本をマグルが読めるようにするのだと告げると、マダム・ピンスは一瞬言葉を失い、数分間身動きも瞬きもしなかったのであります。やがて我に帰ったマダム・ピンスは、いみじくも、私の判断力が休暇をとっているのではないか、と尋ねました。この点については私が大丈夫だと保証し、さらに、なぜこのような前代未聞の決断をするに至ったかを説明しました。

　マグル読者にとっては、いまさらコミック・リリーフの仕事を説明する必要はないと思うので、この本を購入した魔法使いおよび魔女の方々のために、マダム・ピンスにしたのと同じ説明をくり返しましょう。コミック・リリーフは笑いをもって貧困、不正、災害と闘っています。笑いを広げることで大きな金額を獲得しているのです。（1985年の開設以来、1億7400万ポンド、すなわち3400万ガリオン以上）。本書を購入していただくことにより――購入をお勧めいたしますぞ。なぜなら、もしお金を出さずにこの本を長々読み続けると、「盗人への呪い」をかけられることになるからです――この魔法的な使命に、あなたも貢献することができるのであ

ります。

　こうした説明をした結果、マダム・ピンスが図書館の蔵書をマグルのために引きわたすことを快諾したと言えば嘘になりましょう。マダム・ピンスはいくつかの代替案を出しました。たとえば、図書館が火事で焼けてしまったことにするとか、私が急死して、図書館は私から何も指示を受けていないと、コミック・リリーフの人々にそう言ったらどうかという意見でありました。結局のところ、私が最初に立てた計画の方が好ましいと言うと、マダム・ピンスはしぶしぶ本を引きわたすことに同意しました。もっとも、実際に本を手放す段になると、マダム・ピンスは気がくじけたらしく、私はその指を一本ずつ、むりやり本の背からひっぺがさなければなりませんでした。

　図書館のすべての蔵書に通常かけられている呪文は、この本に関しては私が取り除いておきましたが、すべての呪文が跡形もなく消えたとは保証できません。マダム・ピンスが自分の管理下にある本に、さらに異常な呪いをかけていることがあります。私自身も昨年、「超物質的変身術理論」の本に、何気な

くいたずら書きをしたところ、次の瞬間、その本に頭を激しくぶたれるという憂き目に遭いました。この本の取り扱いには細心の注意をお払いくだされ。ページを破り取らないこと。トイレに落とさないこと。さもないと、あなたがどこにいようとも、マダム・ピンスが突然襲いかかり、重い罰金を課さないと保証はできませんぞ。

　最後に、コミック・リリーフへの皆様のご支援を感謝いたします。そしてマグルの方々は、どうか自宅でクィディッチをなさらぬようお願い申し上げます。これはまったく仮想のスポーツでありまして、誰もプレイする者はおりません。またこの機会を利用し、来るシーズンにはパドルミア・ユナイテッドが活躍することを切に願うものであります。

アルバス・ダンブルドア

第1章
飛行箒の進化

「人の姿のままで、なんの助けも借りずに飛ぶことを可能にするような呪文は、いまだに考案されてはいない。羽のある動物に変身できる数少ない「動物もどき」は、飛ぶことができるが、これはごく稀な例である。コウモリに変身した魔女や魔法使いは、空中に舞い上がることができるが、なにしろコウモリの脳みそでは、飛び上がった瞬間、どこに行くつもりだったか忘れてしまうに違いない。浮上術はごく普通に行われるが、我々の祖先は、たかだか地上1.5メートルに浮かんでいるだけでは満足できなかった。もっと何かしたかった。羽を生やすという手間なしに、鳥のように飛びたかった。

今日ではイギリスの魔法使いの家であれば、少なくとも一本は飛行箒があるのがあたりまえで、ことさらそのわけを問うこともめったにない。しかし、箒ごときが、なぜ魔法使いの交通手段として唯一合法的に認められるようになったのだろう？　東洋の

魔法使い仲間にはじゅうたんが愛用されているのに、なぜ西洋の我々はそれを採用しないのだろう？　なぜ空飛ぶ樽、空飛ぶソファ、空飛ぶ浴槽を作るという選択をしなかったのか——なぜ箒なのか？

　近所に住むマグルたちが、魔法の力のすべてを知ってしまったら、きっとその力をうまく利用しようとするだろう。それを見抜くだけの才覚を持ち合わせていた魔女や魔法使いたちは、「国際魔法使い機密保持法」が制定されるずっと前から、仲間内だけのつき合いをしてきた。なんらかの飛行手段を家の中に置いておくのであれば、目立たず、簡単に隠せるものでなければならない。箒はこの条件にぴったりだった。マグルに見つかっても説明も言い訳もいらないし、持ち運びが簡単で安価だった。しかし、飛行目的で魔法をかけた初期の箒には欠点があった。

　記録によれば、ヨーロッパの魔女、魔法使いは、紀元962年にはすでに飛行箒を使っていた。飾り文字で書かれたこの時代のドイツの古文書には、三人の魔法戦士が、いずれもひどく痛そうなしかめっ面で箒から降りようとしているところが描かれている。スコットランドの魔法使い、ガッスリー・ロッホレ

ンは、1107年、モントローズからアーブロースまでの短距離を箒で飛んだ後、「尻が木のささくれだらけになり、痔がひどくなった」と述べている。

　ロンドンのクィディッチ博物館に展示されている中世の箒を見ると、ロッホレンの不快感が納得できる（図A参照）。ニス仕上げしていない、節くれだった太いトネリコの柄に、その一方の端にハシバミの小枝が荒っぽく束ねられ、快適さも空気力学もない。箒にかけられた呪文も、箒同様に単純で、前進は一定速度のみ、あとは上昇、下降、停止するだけである。

図A

　この時代の魔法使いは、それぞれの家庭で箒を作っていたため、スピードや快適さ、性能もまちまち

であった。しかし12世紀になって、魔法使い同士で互いに仕事の交換が始まり、箒製造に熟練した魔法使いと、魔法薬を作るのがより上手な隣人が、物々交換するようになった。箒の乗り心地がよくなると、単にＡ地点からＢ地点に移動するためだけでなく、箒乗りを楽しむようになった。

第2章
古代の箒競技

箒の進歩により、コーナーを曲がったり、速度や高度を変えたりできるようになると、たちまち箒スポーツが登場した。魔法界の昔の書物や絵を見ると、我々の祖先がどんな競技をしていたかを垣間見ることができる。いまはもう残っていないものもあるし、生き残って現在のスポーツの形にまで進化したものもある。

スェーデンで毎年行われる名高い箒レースは10世紀に始まった。参加者は、コパーベルグからアリエプログまでの300マイル（480キロ）あまりを飛行する。このコースはドラゴンの保護区をまともに横切るもので、優勝の大銀杯は、スェーデン・ショート-スナウト種ドラゴンの形をしている。現在ではこれが国際的なレースとなり、世界中からコパーベルグに魔法使いが集まり、選手を出発点で応援し、その後「姿現わし術」でアリエプログに現われ、ゴールに生きて戻ってきた選手を讃える。

有名な「暴れ者グンターの優勝」(1105年) の絵は、古代ドイツの競技、**スティックストック**を描いたものである。20フィート (6メートル) のポールの先端にドラゴンの膀胱を膨らませたものが載っている。箒に乗った選手の1人がこの膀胱を守る役目をする。この膀胱ガードマンは、腰のあたりにロープをかけ、それをポールに結びつけて、ポールから10フィート (3メートル) 以上は離れられないようになっていた。ほかの選手は、代わるがわる膀胱をめがけて突っ込み、特別に削った箒の柄の先で膀胱をパンクさせようとする。膀胱ガードマンは杖を使って攻撃をかわすことが許されていた。膀胱をパンクさせるか、ガードマンが相手の選手全員に呪いをかけて動けなくするか、または自分が疲労困憊で倒れるかした時、ゲームが終了した。スティックストックは14世紀に廃れてしまった。

　アイルランドでは、**エインジンジェイン**という競技が盛んで、アイルランド叙事詩に多く詠まれている (伝説の魔法使い「大胆不敵のフィンガル」はエイジンジェインのチャンピオンであったといわれる)。選手はそれぞれ「ドム」すなわちボール (実

際は山羊の膀胱）を持ち、やぐらを組んで空中高くしつらえられた、何個もの燃える樽の中をすばやく飛び抜ける。ドムは最後の樽を貫通するように投げ入れられる。途中火に巻かれずに、最短の時間で最後の樽にドムを投げ、貫通させたものが優勝する。

スコットランドは、箒競技の中で最も危険だとされる、**クレオスシアン**の発祥の地である。この競技については、11世紀のケルト語の悲劇的な詩に詠まれているが、その第一節を翻訳すると次のようになる。

競う者が集った。12人の勇猛果敢な剛の者、持参の鍋を括りつけ、いまや遅しと飛ぶ時を待つ。角笛の音が鳴り、彼らはたちまち空中に飛ぶ。しかしそのうち10人は、終に帰らぬ人となりぬ。

クレオスシアンの選手は、それぞれ頭に鍋を括りつけていた。角笛または太鼓の合図と共に、それまで地上100フィート（30メートル）上空に浮いてい

た、呪文をかけられた岩石が、最高で100個地上めがけて降り注ぐ。選手は鍋にできるだけ多くの岩石を集めようと、その中を飛び回る。スコットランドの魔法使いの多くは、これを男らしさや勇気を示す究極のテストと考えていたので、競技の結果おびただしい死者が出たにもかかわらず、クレオスシアンは中世において、極めて人気の高い競技だった。この競技は1762年に非合法となり、1960年代には「へこみ頭のマグナス・マクドナルド」が先頭に立って再開キャンペーンを展開したが、魔法省は禁止令を撤回しなかった。

シャントバンプスはイギリス、デボン州で盛んであった。これは馬上槍試合の原型で、できるだけ多くの選手を箒から叩き落とすことだけに専念し、最後まで箒に留まった者が勝者となった。

スイベンホッジはヘレフォードシャー州で始まった。スティックストックと同じく、膨らませた膀胱を使う。通常は豚の膀胱を使った。選手は箒に後ろ向きに乗り、箒の尾で生垣越しに膀胱を打ち合う。打ち損じると相手側に得点が与えられる。50点先取した方が勝者。

スイベンホッジはいまでもイギリスで行われているが、1度も広範(こうはん)な人気を得ることはなかった。シャントバンプスは子供の遊びとしてのみ生き残った。一方、後日(ごじつ)魔法界(まほうかい)で最も人気を博(はく)すこととなる競技(きょうぎ)が、クィアディッチ湿原(しつげん)で出来上(できあ)がりつつあった。

第3章
クィアディッチ湿原の競技

クィディッチがまだ未完成だったころについては、11世紀にクィアディッチ湿原の周辺に住んでいた、魔女ガーティ・ケドルの書き残したものから窺い知ることができる。我々にとって幸運なことに、ガーティは日記をつけていて、それがいま、ロンドンのクィディッチ博物館に所蔵されている。サクソン語の下手な文字で書かれた原書を翻訳したものから抜粋して、以下に引用する。

火曜日　暑い。湿原のむこうの連中が、またしてもあれをやっていたのだ。箒に乗ったバカげたゲームだ。大きな革のボールが家のキャベツ畑に落ちた。ボールを拾いにきた男に呪いをかけて膝小僧を後ろ前に引っくり返してやった。飛べるものなら飛んでみろ。でっかい毛むくじゃら豚め。

火曜日　雨。湿原に出てイラクサを摘む。箒乗りバカがまた遊んでいる。岩陰からしばらく覗いてみた。新しいボールを使っていた。ボールを投げ合ったり、湿原の両端の木に刺そうとしたりしていた。しょうもない、くだらないものだ。

火曜日　風強し。グエノグがイラクサ茶を飲みにやってきて、おもしろいものがあるからと私を誘った。なんのことはない、湿原で例のバカどもがゲームをやっているのを見る羽目になった。丘の上からきた、あの大きなスコットランドの魔法戦士もいた。今度は大きな重い岩が2つ飛び回っていて、全員を箒から叩き落とそうとしていた。残念無念だが、私が見ている間に箒から落ちた者は誰もいなかった。グエノグは自分でも時々やると言っていた。うんざりして家に帰った。

　この抄訳を読むと、ガーティ・ケドル自身が考えても見なかったようなことがいろいろと明らかになっている。この魔女が、1週間の曜日のうちたった

１つしか知らなかったということも明らかだが、それはさておき、第１に、キャベツ畑に落ちたボールが現代のクアッフルと同じく革製であったこと——言うまでもなく、その時代の他の箒競技で使った膀胱風船では、正確に投げることができなかったし、とくに風の強い時には難しかった。第２に、ガーティが「湿原の両端の木に刺そうとしていた」と書いている——これは明らかに、ゴールで得点をする初期の形である。第３に、ブラッジャーの原型もチラリと見える。「大きなスコットランドの魔法戦士」がいたというのも非常に興味深い。クレオスシアンの選手だったのだろうか？　大岩に魔法をかけて競技場をビュンビュン飛び回らせるという危険なアイデアは、自分の故郷のゲームである「クレオスシアン」で使っている巨岩に触発されたものだろうか？

　クィアディッチ湿原で行われたこのスポーツについて触れたものは、それから１世紀の間何もなかったが、１００年後、魔法使いグッドウィン・ニーンがノルウェーに住むいとこのオラフに羽ペンで書いた手紙に登場する。ニーンはヨークシャー州に住んでいたが、このことから、ガーティ・ケドルが最初に

目撃して以来100年の間にこの競技がイギリス中に広まったことが窺える。ニーンの手紙はノルウェー魔法省の古文書館に所蔵されている。

親愛なるオラフ、

元気かい？　僕は元気だ。でもグンヒルダが軽いドラゴン痘にかかってね。先週土曜日の夜、クウィーデッチを威勢よく1試合やって、楽しかったけど、かわいそうにグンヒルダは、まだキャッチャーができるような状態ではなかったから、鍛冶屋のラドルフが代わりを務めた。イルクリーからやってきたチームはなかなか健闘したけど、我々の敵じゃない。なにしろこっちは、1ヵ月間ずっと猛練習を続けたし、42回も得点したよ。ラドルフは頭にブラッダーを食らっちまった。ウッガじいさんが棍棒を扱うのにノロノロしてたものでね。得点用の新しい樽はうまくいった。両端に3本ずつ支柱を立てて、その上に据えたんだ。樽は飲み屋のウーナが用意してくれた。その上ウーナは、我々が勝ったので、一晩中蜂蜜酒をただで飲ませてくれた。帰宅がだいぶ遅くなって、グンヒ

ルダは少し腹を立ててね。悪質な呪いを2、3回避ける羽目になった。でも、僕の指、いまはちゃんと元通り生えてきたよ。

この手紙を僕の持っている1番いいふくろうで送ります。無事届けてくれますよう。
　あなたのいとこ、グッドウィンより

　このように、100年の間にどのくらいこの競技が発展したかを見ることができる。グッドウィンの妻は「キャッチャー」をするはずだった――おそらく、いまの「チェイサー」のことだろう。鍛冶屋のラドルフが食らった「ブラッダー」（「ブラッジャー」に違いない）は、ウッガ――棍棒を持っているので、明らかに「ビーター」だ――が受け止めなければならなかった。ゴールはもはや立ち木ではなく、高い支柱の上の樽になっている。しかし大切なものが1つ欠けている、黄金のスニッチである。この4つ目のボールは13世紀の半ば過ぎに、初めて奇妙な形で現われた。

第4章
黄金のスニッチ登場

ス ニジェット狩りは、1100年代の初頭から、多くの魔法使い、魔女の間で盛んに行われていた。黄金のスニジェット（図B参照）は、現在では保護鳥だが、当時は北ヨーロッパのどこにでもいた。しかし、身を隠すのがうまく、飛ぶのが非常に速いことから、マグルの目では見つけにくかった。

図B

スニジェットが超小型であり、しかも空中でのす

ばらしい敏捷さ、捕食者から逃れる能力を備えているので、スニジェットを捕らえると、魔法使いにとっては自慢の種になった。クィディッチ博物館に保存されている12世紀の壁掛けには、スニジェット狩りに出かける人たちが描かれている。壁掛けの最初の部分には、狩人があるいは網を持ち、あるいは杖を持ち、さらにはスニジェットを素手で捕まえようとしている姿が描かれている。この壁掛けを見ると、捕まったスニジェットが、しばしば押しつぶされることがあったのがわかる。壁掛けの最後の部分では、スニジェットを捕まえた魔法使いに黄金一袋が贈られているのが見える。

　スニジェット狩りはいろいろな点で非難されるべきものであった。スポーツの名のもとに、この平和を愛する小鳥が殺されたことは、まともな神経の魔法使いなら深く後悔しなければならない。その上スニジェット狩りは真っ昼間に行われることが多かったので、他のどんな活動よりも頻繁に、マグルに箒を目撃されてしまった。しかし、当時の魔法使い評議会は、このスポーツの人気を抑えることができなかった——それどころか、評議会そのものが、スニ

ジェット狩りのどこが悪い、という見方をしていたようだ。このことは後述する。

スニジェット狩りが遂にクィディッチと出会うのは、魔法使い評議会委員長、バーバルス・ブラッグの臨席した1269年の試合においてであった。この経緯がわかるのは、ケント州のマダム・モデスティ・ラブノットが、アバディーン在住の妹、プルーデンスに送った手紙によってである（この手紙もクィディッチ博物館に展示されている）。マダム・ラブノットによれば、ブラッグは籠に入ったスニジェットを試合に持ってきて、選手たちに、試合中にこれを捕まえたものには150ガリオン[*1]を与えると言った。その後何が起きたか、マダム・ラブノットが書いている。

選手はクアッフルを無視し、ブラッダーをよけながら、一団となって空に上がったわ。2人のキーパーもゴールのバスケットをほったらかして狩りに加わったのよ。かわいそうに、小さなスニジェ

---

*1　現在の価値で100万ガリオン以上。ブラッグが払う意志があったかどうかは疑わしい。

ットは競技場を隅から隅へと飛んで、なんとか逃げようとしたのだけど、観衆の魔法使いたちが「はねつけ呪文」をかけて、無理やり競技場に押し戻してしまったの。ねえ、プル、私がスニジェット狩りをどう思っているか、私が癇癪を起こしたらどうなるか、あなた、知ってるでしょう？ 私、競技場に駆けこんで、叫んだわ。「ブラッグ委員長、これはスポーツではないわ！ スニジェットを自由にしてあげて。私たちはすばらしい『クアディッチ』を見にきたのよ！」プル、ねえ、信じられる？ あのケダモノがどうしたと思う？ 大笑いして、私に空の鳥籠を投げつけたのよ。私はカッとなりましたよ、プル、カッとなりましたとも。かわいそうな小さなスニジェットが私の方に飛んできたので、「呼び寄せ呪文」をかけたわ。プル、私が「呼び寄せ呪文」がうまいこと、知ってるわね——その時は箒に乗っていなかったから、正確に的を絞りやすかったのも確かね。小さな鳥は私の手の中に飛び込んだわ。私はローブの前のところにその鳥を入れて、死に物狂いで走ったわ。

　私は捕まってしまったけど、その前に人混みか

ら逃れて、スニジェットを救してあげたわ。ブラッグ委員長はカンカンで、私は角ヒキガエルとか、もっとひどい何かに変身させられるのじゃないかと一瞬覚悟したくらい。運よく、ブラッグの顧問たちがとりなしてくれて、私は試合妨害のかどで罰金10ガリオンだけですみました。もちろん10ガリオンなんて大金、私は一度も持ったことがなかったし、そういうわけで、私たちの生まれた家を売ってしまいました。

　まもなくあなたのところへ行って、お世話になるわ。運のいいことにヒッポグリフは取り上げられなかったの。でもこれだけは言えるわ、ブル。もし私に選挙権があったら、ブラッグ委員長は1票失ったことでしょう。

　　あなたを愛する姉より
　　　モデスティー

マダム・ラブノットの勇敢な行動によって、スニジェットが1羽は救われたであろうが、1人ではすべてのスニジェットを救うというわけにはいかなか

った。ブラッグ委員長の思いつきが、クィディッチのやり方そのものを変えてしまった。まもなくクィディッチの試合中に必ず黄金のスニジェットが放されるようになり、各チームに1人の選手（ハンター）が、スニジェットを捕まえることだけに専念するようになった。鳥が殺されるとその試合は終了し、ブラッグ委員長の約束した150ガリオンにちなんで、捕まえたハンターのチームに150点が与えられた。観衆はスニジェットが競技場から出られないように、マダム・ラブノットが書いていたあの「はねつけ呪文」をかけた。

　しかしながら、次の世紀の半ばころまでには、スニジェットの数があまりにも少なくなり、当時の魔法評議会委員長、エルフリダ・クラッグは先代よりずっと見識が高かったので、スニジェットを殺したり、クィディッチ試合に用いたりすることを禁止した。モデスティー・ラブノット・スニジェット保護区が、サマセットに創設され、さらに、クィディッチ試合が続けられるよう、スニジェットの代わりになるものを必死で探した。

　黄金のスニッチを発明したのは、ゴドリックの谷

の魔法使いボーマン・ライトである。国中のクィディッチ・チームが、スニジェットに代わる鳥を探していたのに対し、「金属呪文」に優れたライトは、行動様式や飛行パターンがスニジェットに似ているボールを作ろうとした。ライトが鮮やかな成功を収めたことは、死後に残された何巻もの羊皮紙に、国中からの注文が列記されていることから明らかである（羊皮紙は現在コレクターの個人所蔵）。ボーマンは自分の発明を「ゴールデン・スニッチ（黄金のスニッチ）」と称したが、これは、クルミ大でスニジェットとまったく同じ重さだった。銀色の羽はスニジェットと同じく関節が回転する翼で、モデルになったスニジェットと同じく、稲妻のようなスピードで正確に方向転換をすることができる。しかしながらスニジェットと異なり、競技場内に留まるように前もって魔法がかけられていた。黄金のスニッチが導入されたことで、クィアディッチ湿原から始まり300年を経た進化が一区切りついたといえよう。クィディッチはここに真の誕生を迎えた。

第5章
マグル対策

1 398年、魔法使い、ザカリアス・マンプスが、初めてクィディッチの原則を詳しく規定した。その冒頭に、プレー中はマグル安全策を講じる必要があると強調している。「箒に乗って離陸した姿をマグルに見られないよう、マグル居住地から遠く離れた荒れ地を選ぶ。常設競技場を作る場合、「マグル避け呪文」が有効である。さらに、夜間競技が望ましい」

マンプス忠告はすばらしいものだったが、必ずしも守られていなかったと思われる。それは、1362年に魔法評議会が、町から50マイル（80キロ）以内でのクィディッチを禁止したことからも窺える。1368年にはその禁止令を改正し、町から100マイル（160キロ）以内での試合を禁止しているので、クィディッチの人気が急速に高まっていたことが明らかである。1419年には、かの有名なクィディッチ競技禁止布告が出された。「わずかでもマグルが

目撃する恐れのある場所では、競技を禁ずる。さもないと、地下牢に鎖で繋がれたままでも試合できるかどうか、お手並みを拝見させていただく」

　学生魔法使いなら誰でも知っているように、魔法使いの機密事項の中でも、我々が箒に乗るという秘密が1番バレ方が激しい。マグルの描く魔女の姿には、必ず箒が描かれている。これらの図はバカバカしいものであるが（マグルの描くような箒では、一瞬たりとも空中に浮かんでいられないだろう）、それにしても、我々が何世紀にもわたって不注意であったばかりに、マグルの頭の中で、箒と魔法がいかに切り離せないものになっているかが窺える。

　適切な機密保持が施行されるようになったのは、1692年の国際魔法使い機密保持法により、各国の魔法省が、自分の管轄地域で行われた魔法スポーツについて、直接責任をとらなくてはならなくなってからである。その結果、イギリスでは、「魔法ゲームおよびスポーツ局」が創設された。魔法省の指針に違反したクィディッチ・チームは解散を余儀なくされた。1番有名な例は、スコットランドのバンコリー・バンガーズで、このチームは、クィディッチ

も下手で有名だったし、試合後のパーティ騒ぎでもよく知られていた。1814年、アップルビー・アローズ（第7章を参照）との試合後、バンガーズは、ブラッジャーを解き放ち、夜空に飛び去るのを放置したばかりでなく、ヘブリデス・ブラック種のドラゴンを捕まえてチームのマスコットにしようと出かけていった。バンガーズの選手がインバネスの上空を飛んでいるところを、魔法省の役人が逮捕し、それ以来バンコリー・バンガーズはプレーしていない。

今日では、クィディッチ・チームが地方でプレーすることはなくなり、「魔法ゲームおよびスポーツ局」が設定した、適切なマグル安全対策がとられている競技場まで赴いて試合する。600年前にザカリアス・マンプスがいみじくも示唆したように、クィディッチ競技場は人里離れた荒れ地に置かれるのが最も安全である。

第6章
14世紀以降のクィディッチの変遷

競技場

　ザカリアス・マンプスの記述によれば、14世紀に見られた競技場は、楕円形で、長さ500フィート（150メートル）、幅80フィート（24メートル）で中央に直径2フィート（60センチ）の小さな円があった。マンプスによれば、審判は（その時代にはクィジャッジと呼ばれていたが）、選手14人が取り囲む中で、4つのボールを持って中央のサークルに入る。ボールが放たれた瞬間（クアッフルは審判が投げる。後述のクアッフルを参照）、選手は競って空中に飛び出す。マンプスの時代には、ゴールは図Cに見られるように、依然として支柱の

図C

「魔法使いの高貴なスポーツ」より

ゴール・バスケット

スコア・エリア　　　　　　　　　　　スコア・エリア

ボールを解き放す中央サークル

図D

　上の大きな籠だった。1620年に書かれたクィンティウス・ウンフラビルの著書、「魔法戦士の高貴なスポーツ」には、17世紀の競技場の図が載っている（図D参照）。ここにはスコア・エリアが加わっている（後述のルール参照）。ゴールポストの籠はマンプスの時代と比較すると、かなり小さくなり、より高いところに据えつけられている。

　1883年にはゴール用バスケットが使われなくなり、今日使われているゴールポストになったが、この革新については、日刊予言者新聞に記事が掲載された（以下参照）。クィディッチの競技場はその時代から変わっていない。

バスケットを返せ！

　こんな叫び声が、昨夜全国のクィディッチ選手からあがった。「魔法ゲームおよびスポーツ局」が、何世紀もクィディッチのゴールに使われてきたバスケットを燃やすという決定を下したことが、明るみに出たからだ。
「燃やすわけではない。大げさな」意見を求められた魔法省代表は、いらいらした表情でそう語った。「お気づきのように、バスケットの大きさはまちまちです。バスケットの大きさを標準化して、イギリス中のゴールポストを同一にするのは不可能だとわかりましてね。おわかりいただけるでしょう。これは公正さの問題ですよ。つまりですね、バーントンの近くのチームの場合、相手チーム用のゴールに豆粒のようなバスケットを置いている。これじゃ、ぶどうの粒だってはいりゃしない。自分たちが入れるゴールには、巨大な柳編みの洞穴のようなのがブラブラしている。これはいただけませんよ。我々は一定の大きさの輪に落ち着いた。ただそれだけのことです。すべてすっきり、公正です」
　この時、集会場に集まったデモ隊が、怒って魔法省代表に向ってバスケットを雨あられと投げつけたので、代表は退去を余儀なくされた。その後に起こった暴動は、小鬼の扇動によるものだということが、あとで判明したものの、これまでのようなクィディッチは終りを告げたとして、イギリス中のクィディッチ・ファンが今夜喪に服すであろうことはまちがいない。
「バスケットがねえんじゃ、いままでとおんなじじゃねえ」リンゴのような頬をした老魔法使いが悲しそうに語

った。「若ぇころにゃ、試合中、冗談でバスケットに火いつけたもんだ。ゴールが輪っかじゃそいつができねぇ。つまんなくなっちまった」

1883年2月12日付　日刊予言者新聞

ボール

クアッフル

　ガーティ・ケドルの日記でわかるように、クアッフルは初期のころから革製だった。4つのボールの中で、唯一クアッフルだけには当初呪文がかけられておらず、単なるつぎはぎの革ボールで、片手で捕まえて投げなければならないので、しばしば革ひもがついていた（図E参照）。古いクアッフルには指穴がついたものもあった。1875年に「握り呪文」ができたことにより、革に呪文がかかり、何もなくとも、チェイサーはボールを握ることができるようになり、ひもや指穴などは不用になった。

　近代のクアッフルは直径12インチ（30センチ）で縫い目がない。1711年、豪雨のため、試合中にボールが地面に落ちると、泥にまぎれて見つからなくなるという経験をし、その年の冬初めて紅く塗ら

れた。チェイサーは、クアッフルを捕まえ損なうたびに地面まで急降下して拾わなければならないことに、だんだんいらだちを募らせるようになったので、色つきボールになってから間もなく、魔女のデイジー・ペニフォールドがクアッフルに魔法をかけ、ボールをとり落としても、ちょうど水の中に沈む時のように、ゆっくりと落下するようにした。つまり、チェイサーがクアッフルを空中で捕らえることができるようになった。この「ペニフォールド・クアッフル」はいまでも使われている。

古代のクアッフル　　　　　現代のクアッフル
図E

ブラッジャー

初期のブラッジャー（「ブラッダー」）は、すでに

おわかりのように、空飛ぶ岩だった。マンプスの時代には、岩をボールの形に削るというところまで進化したに過ぎない。しかしこれには重大な欠点があった。15世紀には、ビーターが魔法で強化されたバットを使ったので、ブラッジャーを砕いてしまう可能性があった。そうなると、そのあとは試合中ずっと、選手全員が空飛ぶ砂利に追いかけられることになっただろう。

16世紀初頭から、クィディッチ・チームによっては金属製のブラッジャーを試験的に使いはじめたというのも、おそらくそういう理由からであろう。古代魔法遺物の専門家であるアガサ・チャップは、アイルランドの泥炭層やイギリスの湿地から、この時代のものと鑑定される鉛のブラッジャーを、少なくとも12個も発見している。「これは大砲の弾ではなく、ブラッジャーに違いない」とチャップ女史は書いている。

ビーターが使った魔法強化バットによる、わずかな凹みが目視でき、(マグルではなく) 魔法使いによって製造されたという、顕著な印を見ることができる

——つまり、滑らかな形、完全な対称形だ。決め手となるのは、箱から放してやると、書斎をヒューヒュー飛び回り、私を床に叩きのめそうとしたことだ。

鉛は、結局柔らか過ぎてブラッジャーには向かないとされた（ブラッジャーに少しでも凹みが残ると、まっすぐ飛ぶ能力に問題が起こる）。現在ではブラッジャーはすべて鉄製である。直径は10インチ（25センチ）。

ブラッジャーには、どの選手も無差別に追いかけるように魔法がかけられている。放置すると、1番近くにいる選手を攻撃するので、ビーターの役目は、ブラッジャーを叩いて、自分のチームの選手からできるだけ遠くに飛ばすことである。

黄金のスニッチ

黄金のスニッチは黄金のスニジェットと同様、クルミ大で、できるだけ捕まらないように魔法がかけられている。1884年、ボドミン荒地の試合では、半年も捕まらなかったという話が伝わっており、結

局両チームとも、シーカーの下手さ加減に愛想をつかして試合を中止したということである。この地域をよく知るコーンウォール地方の魔法使いたちは、このスニッチが野生化して、いまだにこの地域に住んでいると主張するが、筆者はこれを確認することができなかった。

選手

キーパー

キーパーのポジションは、たしかに13世紀から存在しているが（第4章参照）、その役割は以来変化している。

ザカリアス・マンプスによれば、キーパーとは、

クアッフルがバスケットに入るのを防ぐ役目で、真っ先にゴールのバスケットまで戻らなければならない。キーパーの留守に味方のバスケットにボールが入ることがないよう、キーパーは競技場の反対側の方に出過ぎないように注意しなければならない。しかし飛ぶのが速いキーパーなら、自分が得点を上げ

てから味方のバスケットに引き返し、相手側が同様に得点するのを防ぐことができる。要はキーパー個人の良心に従えばよい。

　この記述から、マンプス時代のキーパーは、役目の1つ多いチェイサーのようなものだったことがわかる。競技場全体を飛び回り、得点を上げることもできた。
　クィンティウス・ウンフラビルが「魔法使いの高貴なスポーツ」を著した1620年には、キーパーの役割は単純なものになっていた。競技場にスコア・エリアが決められ、キーパーはその内側に留まって、味方のバスケットを守るのがよいとされた。ただし、相手のチェイサーを威嚇したり、早めに追い払うために、エリアの外に飛び出してもよいとされた。

　　　　　ビーター
　ビーターの役割は、何世紀もの間ほとんど変わっていない。ブラッジャーが導入されて以来ずっとビーターは存在したようだ。第1の役割は、バット

（かつての棍棒、第3章のグッドウィン・ニーンの手紙を参照）を使って、味方のチームの選手をブラッジャーから守ることである。ビーターは得点を上げる役になったことはなく、クアッフルを扱ったという記録もない。

　ビーターはブラッジャーを追い払うので、肉体的に相当頑健でなければならない。したがって、他のポジションとは異なり、魔女より魔法使いが担うことが多かった。また時には両手を箒から離し、両手打ちでブラッジャーを叩かなければならないので、高度なバランス感覚が必要とされる。

チェイサー

　クィディッチがゴールで得点するだけのゲームだった時代があるので、チェイサーは一番古くからあるポジションである。チェイサーがクアッフルを投げあい、ゴールの輪のどれか1つに入れると10点獲得する。

　唯一大きな変化が起きたのは、ゴールのバスケットを輪に変更した翌年の、1884年のことだ。新し

いルールができ、クアッフルを持ったチェイサー以外はスコア・エリアに入れなくなった。2人以上のチェイサーが入った場合には、ゴールすることが許されない。このルールは「打ちのめし作戦」を禁止するためで（後述の「反則」を参照）、この作戦は、スコア・エリアにチェイサーが2人入り、キーパーを襲って押しのけ、守る者のいなくなったゴールの輪を3人目のチェイサーが狙うというものである。この新ルールに対する反応を、当時の日刊予言者新聞は次のように報じている。

チェイサーは悪くない！

　昨夜、イギリス中のクィディッチ・ファンが、驚いてこう叫んだ。「魔法ゲームおよびスポーツ局」が、昨夜いわゆる「打ちのめし作戦ペナルティー」について発表したときのことだ。
　「打ちのめし件数が増加している」魔法省代表は、昨夜、当惑した表情でこう語った。「キーパーが重傷を負う場面をあまりにも頻繁に目にしてきたが、新しいルールによってそれがなくなると考えている。いままでチェイサーが3人がかりでキーパーを叩きのめしていたが、これからは1対1で、チェイサーがキーパー

に対抗する。これで、より公明正大になるだろう」

ここまで述べた時、怒った群集がクアッフルを投げつけはじめたので、代表は退去を余儀なくされた。魔法省警察部隊が到着し、魔法省大臣を「打ちのめす」と脅していた群衆を追い散らした。

そばかすだらけの6歳の少年が、泣きながらその場を去った。

「僕、打ちのめしが大好きだった」少年は泣きじゃくりながら日刊予言者新聞の記者に語った。「僕もパパも、キーパーがぺしゃんこにされるのを見るのが好きなんだ。もうクィディッチなんか見たくない」

1884年6月22日付　日刊予言者新聞

シーカー

通常最も軽量で速く飛べるものがシーカーになるが、目がきくことと、片手または両手を箒から離して飛ぶ能力が必要である。スニッチを捕まえれば、負け寸前の試合を逆転勝利に持ち込むことがしばしばあるので、シーカーは試合の結果に重大な役割を担っている。そのため、敵側に妨害されることもしばしばである。昔から最も飛び上手な者がシーカーになるので、華やかなポジションであるが、一番ひどい怪我をするのもシーカーである。ブルータス・スクリムガー著「ビーターのバイブル」にある第1の法則は、「シーカーをやっつけろ」である。

ルール

　1750年、「魔法ゲームおよびスポーツ局」の設立にあたり、以下のルールを規定した。

1. 試合中の選手の飛行について、高さに制限はないが、地上の競技場の境界線から外に出てはならない。選手が境界線を越えた場合、クアッフルは相手チームのものになる。

2. チームのキャプテンは、審判に合図をして、「タイム」を要求することができる。試合中、この時だけは、選手の足が地に着いてもよい。試合が12時間以上続いた場合、タイムは2時間まで延長できる。2時間たっても競技場に戻ってこなければ、そのチームは失格となる。

3. 審判は、チームに対してペナルティーを与えることができる。ペナルティー・スローをするチェイサーは、中央サークルからスコア・エリアに向かって飛ぶ。ペナルティーの時は、相手チームのキーパー以外の選手は、ずっと後ろに下がっていなければならない。

4. 他の選手が持っているクアッフルは奪い取ってもよいが、いかなる場合も、他のプレイヤーの

体のどの部分もつかんではならない。
5. 負傷した場合でも、代わりの選手は出せない。そのチームは負傷した選手が欠場のまま試合を続行しなければならない。
6. 競技中、杖を携帯してもよいが、*¹ どんな事情があろうとも、相手チームの選手、相手チームの選手の箒、レフリー、ボール、または観客に対して使用してはならない。
7. 黄金のスニッチが捕獲された時、あるいは両チームのキャプテンが互いに合意した時のみ、クィディッチは試合終了となる。

反　則

ルールは当然「破られるためにある」ものである。「魔法ゲームおよびスポーツ局」の記録には、700もの反則が載っているがその全部が、1473年、第1回ワールドカップの優勝戦で起こったことが知られている。しかしながら、完全な反則リストは、魔

---

*1　常時杖を携帯する権利は、1692年、国際魔法使い連盟によって確立された。当時はマグルによる迫害が最高潮に達しており、魔法使いたちは身を隠すことを計画していた。

法使い一般に公表されてはいない。リストを見た魔女、魔法使いたちが、そこから「ヒントを得る」かもしれない、というのが当局の見解である。

　本書執筆のための調査過程で、私は幸運にも、この反則に関する資料を見ることができた。そして、この資料を公開することによって得られる公共の利益は何もない、と確信するに至った。反則の90％は、相手チームに対する杖の使用禁止令が守られているかぎりは、決して起こりえないものだ。（この禁止令は1538年に成立した）。残りの10％については、そのほとんどが、一番汚い手を使う選手でさえ思いつかないものだといってよい。たとえば、「敵の箒の尾に火をつける」、「敵の箒を棍棒で攻撃する」、「斧で相手を攻撃する」などである。とは言え、現代のクィディッチ選手が決してルールを破らないわけではない。最も一般的な10の反則を次に記す。

　それぞれの反則の正式なクィディッチ用語を一番左の欄に示す。

名　称	該当ポジション	解　説
ブラッギング	全選手	相手の箒の尾を捕まえて、速度を落とさせたり、邪魔をしたりする
ブラッチング	全選手	わざと衝突するつもりで飛ぶ
ブラーティング	全選手	相手をコースからはずれさせるため、敵の箒の柄をつかんで固定する
バンフィング	ビーターのみ	ブラッジャーを観客に向けて打ち込み、審判員が観客保護に駆けつけて、試合が中断されるのが狙い。敵のチェイサーが得点するのを防ぐため、悪質な選手が時々使う
コビング	全選手	相手の選手に対する過度な肘の使用
フラッキング	キーパーのみ	クアッフルを叩き出すため、体の一部をゴールの輪の中に入れること。キーパーは輪の後ろからではなく、前にいてゴールを守らなければならない
ハバーサッキング	チェイサーのみ	クアッフルを持ったまま、輪に手を突っ込む（クアッフルはゴールに投げ込まなければならない）
クアッフル-ポッキング	チェイサーのみ	クアッフルに細工する。たとえば穴を空けて、早く落下するよう、またはジグザグに進むようにする
スニッチニップ	シーカー以外の全選手	シーカー以外の選手は、スニッチに触れてもつかんでもいけない
スツージング（打ちのめし）	チェイサーのみ	スコア・エリアに、1度に2人以上のチェーサーが突っ込むこと

審判

　クィディッチの審判は、かつては最も勇敢な魔女・魔法使いのみの仕事だった。ザカリアス・マンプスによれば、シプリアン・ユーデルというノーフォーク州の審判が、1357年、地方の魔法使い同士の友好的な試合中に死亡した。呪いの張本人はついに捕まらなかったが、観衆の1人だったと思われる。それ以後、確認された審判殺しはないものの、数世紀にわたり、箒に細工をしたことによる事故が何度かあった。最も危険なのは、審判の箒をポートキー(移動用キー)に変えてしまうもので、審判が試合の途中でさらわれ、数ヵ月後に、サハラ砂漠にポッと現われるという類の事故である。「魔法ゲームおよびスポーツ局」が、選手の箒に関する安全基準に関する厳しい指針を設定したので、いまではこの手の事故は、ありがたいことに極めて稀である。

　有能なクィディッチ審判は、飛ぶのがうまいというだけでは不十分である。14人の選手のとっぴな行為を1度に監視しなければならず、そのため、審判にありがちな怪我の筆頭は首の捻挫である。

　プロの試合では、主審を助ける審判員が数人、競

技場の境界線の周囲に立ち、選手もボールも境界線の外に出ないよう監視する。

　イギリスでは、クィディッチ審判は「魔法ゲームおよびスポーツ局」によって選ばれる。厳しい飛行テストと、クィディッチのルールについての苛酷な筆記テストを受けた後、一連の集中実技テストを受け、どんなにプレッシャーがかかっても、生意気なプレーヤーに呪いをかけたりしないことを証明しなければならない。

第7章
イギリスとアイルランドの クィディッチ・チーム

クィディッチをマグルの目から隠しておく必要があるということで、「魔法ゲームおよびスポーツ局」は、年間試合数を制限しなくてはならなかった。一定のガイドラインさえ守れば、アマチュアの試合は許可されるが、1674年のクィディッチ・リーグ設立以来、プロのクィディッチ・チームの数は制限されてきた。当時、イギリスおよびアイルランドの上位13のチームが選ばれてリーグに入り、他のチームは解散させられた。この13チームが、毎年、リーグ杯を目指して競っている。

アップルビー・アローズ

イギリス北部のこのチームは、1612年に結成された。ローブは薄いブルーで、鮮やかな銀色の矢が描かれている。アローズのファンならみな同じ思いだが、1932年、当時ヨーロッパ・チャンピオンだ

ったヴラトサ・ヴァルチャーズを、濃霧と雨の悪条件の中、16日間におよぶ戦いの末に打ち破ったあの試合こそ、このチームの最も輝ける時だった。チェイサーが得点するたびに、杖から空中めがけて矢を放つのが、ファン・クラブの昔からの慣わしだったが、その矢の一本が審判のニュージェント・ポッツの鼻を貫通するというアクシデントがあり、1894年、「魔法ゲームおよびスポーツ局」はこの習慣を禁止した。アローズとウイムボーン・ワスプス（後述）とは、長年、宿命のライバルである。

バリキャッスル・バッツ

　北アイルランドの名門中の名門チームで、今日までリーグ杯を27回獲得している。これはリーグ史上、2番目の快挙である。バッツは胸に真っ赤なコウモリ（バット）をつけた黒のローブを着る。有名なチーム・マスコット、大コウモリのバーニーは、バタービールの広告に登場することでもよく知られている。（バーニーも言ってるよ「コウモリもコロッとはまるバタービール！」）

ケアフィリー・カタパルツ

　1402年、ウェールズに設立されたカタパルツは、明るい緑と紅の縦縞のローブを着る。チームの栄えある歴史には、18回のリーグ優勝と、1956年、ノルウェーのカラシオック・カイツを破った有名なヨーロッパ杯優勝戦などがある。最も有名な選手だった「危険な野郎」ダイ・ルウェリンが、ギリシャのミコノスでの休暇中に、キメラに食われて悲劇的な死を遂げた時は、ウェールズ中の魔女・魔法使いが１日喪に服した。「危険な野郎ダイ記念メダル」は、毎年シーズンの終りに、その年のリーグ試合中に最も無鉄砲で、はらはらする危険を犯した選手に授与される。

チャドリー・キャノンズ

　チャドリー・キャノンズの輝かしい日々は過ぎ去ったと考える者が多い。だが熱烈なファンは、いまもその復活を夢見ている。キャノンズは21回リーグ優勝しているが、最後に勝ったのは1892年で、それ以後の１世紀にわたる成績はパッとしない。チ

ャドリー・キャノンズのローブは、燃えるようなオレンジ色で、アルファベットのCを2つ組み合わせた文字と、風を切って飛ぶ砲丸が黒々と描かれている。チームのモットーは「勝つぞ」だったが、1972年に「祈ろう、なにとぞうまくいきますように」に変わった。

ファルマス・ファルコンズ

ファルコンズのローブはダークグレーと白で、胸にはファルコン（鷹）の頭の紋章がついている。ファルコンズは荒っぽい試合ぶりで知られており、世界的に有名なビーターコンビ、ケビンとカール・ブロードムアの存在が、その評判を定着させた。2人は1958年から69年の間在籍してプレーし、その不埒な行為で、「魔法ゲームおよびスポーツ局」から14回も出場停止をくらっている。チームのモットーは「勝とう。ダメなら、相手の頭を2つ3つかち割ろう」

ホリヘッド・ハーピーズ

　ホリヘッド・ハーピーズは由緒あるウェールズのチームで（1203年設立）、世界のクィディッチ・チームの中でもとくにユニークで、魔女しか採用しない。ハーピーズのローブはダーク・グリーンで、胸に金色の鉤爪がある。1953年、ハイデルベルグ・ハリヤーズ戦での勝利は、クィディッチ史上最も見ごたえのある試合の1つだったと広く認められている。7日間の激戦の末、試合に決着をつけたのは、ハーピーズのシーカー、グリニス・グリフィスの目の覚めるようなスニッチ捕獲だった。ハリヤーズのキャプテン、ルドルフ・ブランドが試合終了後、箒から降りるなり、敵のキャプテン、グエンドリン・モーガンに結婚を申し込んだが、彼女のクリーンスイープ5号で殴られ、脳震盪を起こしたというのは有名な話である。

ケンメアー・ケストレルズ

　1291年に設立された、このアイルランドのチームは、マスコットであるレプラコーンの元気のよい

応援ぶりと、応援団による見事なハープ演奏で、世界的に人気がある。胸に黄色の「K」が背中合わせに並んでいる、エメラルド・グリーンのローブを着用。1947〜60年にケストレルズのキーパーだった、ダレン・オヘアはアイルランド・ナショナル・チームのキャプテンを3度務め、「チェイサー・ホークスヘッド攻撃フォーメーション」（第10章参照）を作り出した功績がある。

モントローズ・マグパイズ

マグパイズは、イギリス・アイルランドのリーグ史上、最も好成績を残したチームで、リーグ優勝32回を果たした。ヨーロッパ・チャンピオンに2度輝き、地球上至る所にファンを持つ。数多くの傑出した選手を出したが、たとえば、シーカーのユニス・マレー（1942年死亡）は、「これじゃ、簡単すぎる。もっと高速のスニッチを」と要請したことがある。また、ヘーミッシュ・マックファーレン（1957〜68年のキャプテン）は、クィディッチ選手として成功したあと、「魔法ゲームおよびスポー

ツ局」局長としても、同じく輝かしいキャリアを重ねた。胸と背中に1羽ずつマグパイ（かささぎ）の絵がついた白と黒のローブを着用。

プライド・オブ・ポーツリー

　このチームはスカイ島生まれで、1292年に設立。ファンの間では「ザ・プライズ（誇り高き者）」として知られ、胸に金色の星のついた深紫のローブを着る。中でも最も有名なチェイサー、カトリオーナ・マコーマックは、1960年代、キャプテンとして、二度、リーグ優勝を果たし、スコットランド・チーム選手として36回出場した。娘のミーガンが、現在チームのキーパーを務める。（息子のカーリーは、人気魔法バンド、「ザ・ウィアード・シスターズ」のリード・ギタリスト）

パドルミア・ユナイテッド

　1163年に結成されたパドルミア・ユナイテッドは、リーグ中最も古いチームである。パドルミアは

22回のリーグ優勝と、2度のヨーロッパ杯獲得を誇る。チームの応援歌である「叩きかえせよ、ブラッジャー。見事入れろよ、クアッフル」は、聖マンゴー魔法性疾患・傷害病院の寄付集めのため、人気魔女歌手のセレスティナ・ワーベックによってレコーディングされた。パドルミアの選手が着るローブは、ネイビーブルーに金色のパピルス2本が交差した紋章がついている。

タッツヒル・トルネードーズ

トルネードーズは、胸と背中に濃いブルーでTTと頭文字が入った空色のローブを着ている。1520年に結成され、20世紀初頭、シーカーのロデリック・プラムトンがキャプテンの時が絶頂期だった。リーグ杯5回連続優勝を果たし、イギリス・アイルランドの新記録を打ち立てた。ロデリック・プラムトンはイングランド・ナショナル・チームのシーカーを22回務め、イギリスにおけるスニッチ捕獲時間の最短記録保持者である。(試合開始後3.5秒。1921年対ケアフィリー・カタパルツ戦)

ウィグタウン・ワンダラーズ

　スコットランド、ボーダーズ州のこのチームは、ウォルター・パーキンという名の魔法使い肉屋の7人の子どもたちによって、1422年に設立された。4人兄弟、3人姉妹のチームは、あらゆる意味で、恐るべきチームで、ほとんど負け知らずだった。父親のウオルターが、片手に杖を、もう一方の手に肉切り包丁を持ってサイドラインに立つ姿を見て、相手チームが恐れをなしたためともいわれている。以後何世紀にもわたり、ウィグタウン・チームにパーキン家の子孫をよく見かける。創立者への敬意を表し、選手は胸に銀色の肉切り包丁のついた、血のように赤いローブを着ている。

ウイムボーン・ワスプス

　ウイムボーン・ワスプスは、胸にスズメバチのついた黄色と黒の横縞のローブを身につける。1312年に設立されたチームで、リーグ優勝18回、ヨーロッパ杯では2度、準決勝に進んでいる。チーム名は、17世紀の中ごろ、アップルビー・アローズと

の試合中に起こった、嫌な出来事に由来しているといわれる。競技場の端にある木のそばを飛んでいたビーターが、枝の合間にスズメバチの巣を見つけ、それをアローズのシーカーめがけて打ち込んだ。さんざんスズメバチに刺されたアローズのシーカーは、退場を余儀なくされた。ウイムボーンが勝ち、以後、スズメバチは幸運を呼ぶ紋章として採用された。ワスプスのファン（「刺し屋」ともいわれる）は、敵のチェイサーがペナルティーを取る時、気をそらそうとして、ブンブン騒ぐのが伝統のお家芸である。

第8章
クィディッチの世界的普及

ヨーロッパ

アイルランドでは、14世紀に、クィディッチはすでに定着していた。それは1385年の試合に関するザカリアス・マンプスの記述により証明されている。

魔法戦士のチームが、ランカシャーでの試合に臨むため、アイルランドのコーク州から飛んできた。そして、地元のヒーローたちをものの見事にやっつけてしまったので、土地の人たちはカンカンだった。アイルランド人たちは、ランカシャーではそれまで見たこともないクアッフルの技を知っていたのだ。群集が杖を取り出し迫ってきたので、魔法戦士たちは、命からがら村から逃げ出さなければならなかった。

さまざまな資料を見ると、クィディッチが、15世紀の初頭までにはヨーロッパの各地に広がっていたことがわかる。ノルウェーがごく早い時期にクィ

ディッチに傾倒していたこともわかっている。（この地に持ち込んだのは、グッドウィン・ニーンのいとこオラフか？）なぜなら、1400年代初めに詩人「短長格詩人インゴルファ」が次のような詩を書いているからだ。

　おお、空高く、我は飛び、スリルに満たされ、追いかける
　スニッチは、我が前を飛び、風は髪をなびかせる
　我、スニッチに近づかば、群集は叫ぶ、ワーワーと
　しかしその時ブラッジャー、来たりて我はノックアウト

大体同じころ、フランスの魔法使いマレクリーの劇、「ああ、わが足は変身せり」に次のようなくだりがある。

　　グルヌーユ　「クラボー、僕、今日は君と一緒に市
　　　　　　　　場に行けないよ」
　　クラボー　　「グルヌーユ、私一人では牛を担いで
　　　　　　　　いくことなんかできないわ」
　　グルヌーユ　「だって、クラボー。今朝、僕、キー
　　　　　　　　パーをするんだ。僕がクアッフルを

止めなきゃ、誰が止めるんだい？」

　1473年には、史上初のクィディッチ・ワールドカップが開催されたが、代表チームを送ったのはヨーロッパ勢だけだった。遠方の国が参加しなかったのは、招待状を携えたふくろうが、途中でダウンしてしまったか、または招待者たち自身、危険な長旅は気が進まなかったとか、あるいはたぶん、単に家でゆっくりしていたかったというところであろう。
　決勝戦、トランシルバニア対フランダースの試合は、あとにも先にも例のない激しさで、歴史的な語り草になっている。その試合で記録された反則の数々は、それまでに見たこともないものだった。たとえば、チェイサーがスカンクに変身させられたり、キーパーの首を段平で切り落とそうとしたり、吸血鬼の国トランシルバニアのチームは、キャプテンのロープの下から100匹の吸血コウモリを放ったりした。
　以後、ワールドカップは4年に1度開催されているが、ヨーロッパ以外のチームが参加したのは17世紀になってからだった。1652年には、ヨーロッ

パ杯が設立され、以来3年ごとに開催されている。

　ヨーロッパの数ある強豪の中でも、ブルガリアのヴラツサ・ヴァルチャーズが最も有名だろう。ヨーロッパ杯を7度勝ち取ったヴラツサ・ヴァルチャーズは、観戦していて最もはらはらさせられるチームの1つであることはまちがいない。ロング・ゴール（スコア・エリアからずっと離れたところからシュートする）を始めたのもこのチームだし、新人選手個人として名を挙げるチャンスを、常に積極的に与えている。

　フランスでは、リーグ杯優勝チームとして頻繁に登場するクィベロン・クアッフルパンチャーズが、その派手なプレーと、ショッキング・ピンクのローブで有名である。

　ドイツでは、ハイデルベルグ・ハリヤーズが挙げられる。アイルランドのキャプテン、ダレン・オヘアがこのチームを称して、いみじくも言った。「ドラゴンよりも獰猛で、賢さはドラゴンの2倍」ルクセンブルグもクィディッチ強豪国で、ビゴンビル・ボンバーズを生んだ。攻めの作戦で名をはせ、常に高得点を上げるチームの1つである。ポルトガルの

チーム、ブラガ・ブルームフリートは、ビーターをマークする画期的な作戦を引っさげ、近年めきめき頭角を現わし、トップレベルに加わった。ポーランドのグロジスク・ゴブリンズは、議論の余地もあるが、世界一との評判もある革新的シーカー、ヨセフ・ウロンスキーを輩出した。

オーストラリアとニュージーランド

クィディッチがニュージーランドに伝わったのは、17世紀で、ヨーロッパの薬草学者グループが、魔法植物や、カビ、キノコなどの菌類を調査するために遠征した時だと伝えられる。1日中標本を集め、長時間骨の折れる作業を終えた後、魔女、魔法使いたちは、気晴らしにクィディッチに興じ、かの地の魔法社会の人々は、それを呆然と見守っていたという話だ。マオリ族の当時の美術品には、白人の魔法使いがクィディッチをしているところがはっきりと描かれている物があり、ニュージーランド魔法省は、たしかにかなりの金と時間をかけて、マグルがそのようなマオリ族の美術品を入手するのを防いだ。（これらの彫刻や絵画は、現在、ウェリントンの魔

法省に飾られている)

　クィディッチがオーストラリアに広がっていったのは、18世紀のどこかの時期だと思われる。クィディッチ競技場を作れそうな、広大な無人の奥地が広がるオーストラリアは、クィディッチには理想的な土地柄だといえよう。

　オーストラリア、ニュージーランドのチームは、そのスピードとショーマンシップで、常にヨーロッパの観衆を魅了してきた。最強チームの1つである**モウトホーラ・マカウズ**（ニュージーランド）は、赤、青、黄色のユニフォームと、マスコットの不死鳥、スパーキーで有名である。20世紀の大半、オーストラリア・リーグに君臨してきたのは、**サンデララ・サンダラーズとウロンゴング・ワリヤーズ**である。この2チームの敵対心はオーストラリアの魔法社会の中では、伝説的である。誰かが無理な主張をしたり、ホラ話をした時、「僕がそんな話を信じるくらいのバカなら、次のサンダラーズ対ワリヤーズの試合の審判を買って出るだろうよ」と言い返すことからも、両チームの敵対意識の激しさがわかる。

アフリカ

アフリカ大陸に箒をもたらしたのは、たぶん、錬金術や、天文学などに関する情報を求めてアフリカに旅した魔女、魔法使いたちであろう。こうした分野にかけては、アフリカの魔法使いが昔からとくに優れた手腕を持っていた。クィディッチは、まだヨーロッパほど広く普及してはいないが、アフリカ大陸全土で人気が高まりつつある。

とくにウガンダは、クィディッチ熱の高い国として頭角を現わしてきた。最も傑出したチームは、**パトンガ・プラウドスティックス**で、1986年、**モントローズ・マグパイズ**と引き分けに持ち込んで、世界中のクィディッチ関係者を驚かせた。最近のワールドカップのウガンダ代表選手に、プラウドスティックスの選手が6人も選ばれたが、ナショナル・チームに同じチームからこれほど多くの選手が選ばれるのは初めてのことだ。他に特筆すべきアフリカのチームは次の通り。**チャンバ・チャーマーズ**（トーゴ）は、バックパスの名手ぞろいである。**ジンビ・ジャイアント・スレイアーズ**（エチオピア）は、2度の全アフリカ杯優勝を誇る。**サンバワンガ・サン**

レイズ（タンザニア）は、編隊を組んで旋回するプレーが世界中の観衆を沸かせ、非常に人気がある。

北アメリカ

クィディッチが北アメリカ大陸に伝わったのは17世紀の始めだったが、不幸にして、当時のヨーロッパの激烈な反魔法感情も同時に輸出されたため、北アメリカに根を下ろすまでには時間がかかった。魔法使い入植者は、新世界が、魔法に対して偏見の少ない土地であることを望んで渡ってきた者が多く、何事にも慎重であったため、入植初期の時代には、クィディッチの普及に歯止めがかかっていた。

しかし、時がたつにつれ、カナダから熟達したクィディッチ・チームがいくつか現われた。**ムース・ジョー・メテオライツ、ヘイリベリ・ハンマーズ、とストーンウォール・ストーマーズ**だ。メテオライツは勝利試合後の凱旋飛行で、箒の尾から火の子を撒き散らしながら、近隣の町や村の上空を飛び回るパフォーマンスをくり返したせいで、1970年代には危うく解散させられそうになった。現在、このチームの伝統は、試合終了後の競技場内だけにかぎっ

て行われ、その結果、メテオライツの試合は、魔法使い観客に人気の名物となっている。

　アメリカ合衆国からは、他の国のように数多くの国際級のチームが出ていない。というのも、アメリカにはクォドポットという箒ゲームのライバルがあった。クィディッチの変形であるクォドポットは、18世紀の魔法使い、アブラハム・ピースグッドによって考案された。クィディッチ・チームを編成するつもりで、ピースグッドは祖国からクアッフルを持ってやってきた。伝えられるところによれば、そのクアッフルが、トランクの中で偶然杖の先に触れてしまい、ピースグッドがクアッフルを取り出して、いつものように何気なく投げようとしたところ、顔の真ん前で爆発してしまった。ユーモアのセンス抜群の彼は、めげるどころか、同じ効果を再現しようと、次々と革のボールで試しはじめた。そうこうするうちに、クィディッチのことなど忘れ果て、「クォド」と命名した爆発特性を持つボールを中心に、仲間と共に1つのゲームを発展させたという。

　クォドポットは1チーム11人の選手で構成される。変形クアッフルであるクォドを投げあい、爆発

する前に、競技場の端にある「ポット」に入れようとする。クォドが爆発した時、それを持っていた選手は退場しなければならない。クォドが、無事「ポット」（クォドの爆発を防ぐ溶液の入った小さな鍋）に収まると、入れたチームが得点し、新しいクォドが試合に投入される。クォドポットは、ヨーロッパでもマイナーなスポーツとしてある程度の広がりはあったが、大多数の魔法使いは、クィディッチに忠実だった。

　ライバルであるクォドポットの魅力にもかかわらず、クィディッチはアメリカでも人気を博しつつある。近年、２つのチームが国際級に伸し上がってきた。テキサスの**スィートウォーター・オールスターズ**は、1993年、５日間にわたるスリルに満ちた戦いの末、**クィベロン・クアッフルパンチャーズ**を破ったが、実力からしてこの勝利は当然と評価された。マサチューセッツの**フィッチバーグ・フィンチズ**は、現在までにＵＳリーグで７回優勝し、シーカーのマキシマス・ブランコビッチⅢ世は、直近のワールドカップで、アメリカ・ナショナル・チームのキャプテンを連続２回務めた。

南アメリカ

　クィディッチは南アメリカ全域に広がっているが、北アメリカ同様、人気の高いクォドポットと競争しなければならない。前世紀には、アルゼンチンとブラジルがワールドカップの準々決勝に進出している。南アメリカで最もクィディッチの技術が高いのが、ペルーであることはまちがいない。今後10年以内に、ラテン・アメリカ諸国の中で最初のワールドカップ優勝者になるだろうと噂されている。ペルーの魔法戦士が初めてクィディッチに触れたのは、バイパーツース（ペルー原産のドラゴン）の生息数を調べるため、国際連盟から派遣されたヨーロッパの魔法使いを通してであったと思われる。それ以来、ペルーの魔法使い社会は、クィディッチにすっかり取りつかれてしまったのだ。ペルーで最も有名なチーム、**タラポト・ツリースキマーズ**は、近年ヨーロッパ遠征し、絶賛された。

アジア

　東洋では、クィディッチは大きな人気を得たことがない。旅行の手段として、いまでもカーペットが

好まれる国々では、空飛ぶ箒がめったにないからである。インド、パキスタン、バングラデシュ、イラン、モンゴルなどの国は、空飛ぶカーペット産業が盛んなので、そうした国の魔法省は、クィディッチを疑いの目で見ている。しかし、普通の魔女、魔法使いの中には、かなりファンがいる。

　この一般論が当てはまらないのが日本で、過去１世紀の間に、クィディッチは着実に人気を上げてきた。最強チームは**トヨハシ・テング**（豊橋天狗）で、1994年、リトアニアのゴロドク・ガーゴイルズに惜しくも破れた。しかし、負け戦の儀式に、自らの箒を焼き払う習慣は、せっかくの木材を無駄にするものだと、国際魔法使い連盟クィディッチ委員会が難色を示している。

第9章
競技用箒(きょうぎようほうき)の発達

19世紀の初期(しょき)まで、クィディッチに使われた箒は、品質もまちまちな家庭用箒だった。中世に使われた前代(ぜんだい)の箒に比べれば、格段(かくだん)の進歩が見られ、1820年、エリオット・スメスウィックの発明したクッションの呪文(じゅもん)は、箒の乗り心地改善(ごこちかいぜん)に大いに寄与(きよ)した(図F参照(さんしょう))。とはいえ、19世紀の箒は、一般的(いっぱんてき)に高速を出すことができず、高いところではコントロールが難しいことが多かった。箒は箒職人(しょくにん)の手作業で作られることが多く、スタイルや、工芸的(こうげいてき)な面からは実に見事(みごと)なものであったが、その性能が見た目の美しさに匹敵(ひってき)することはめったになかった。

クッションの呪文(見えない座布団)効果
図F

そのよい例が**オークシャフト79**（最初の作品が1879年に作られたことに因む命名）で、ポーツマスの箒職人、エリアス・グリムストーンによって作られたオークシャフトとは、太いオーク（樫）の柄を持ち、すっきりと美しい箒で、耐久飛行用に、強い風にも負けないように設計された。オークシャフトはいまや、時代物の箒として珍重されているが、クィディッチ用に使おうとする試みはついぞ成功しなかった。スピードが出るとターンがもたつき、安全性より敏捷さを重んずる人にはあまり人気がなかった。しかし、1935年、ジョコンダ・サイクスによる初の大西洋横断に使われた箒として、記憶に残るだろう。（それ以前は、それだけの長距離となれば、魔法使いたちは箒を頼らず、むしろ船に乗る方を選んだ。長距離移動になると、「姿現わし術」はますます当てにならないので、高度な術を持つ魔法使いでなければ、この術で大陸横断を試みるのは賢明とはいえない。）

グラディス・ブースビイによって1901年に最初に作られた**ムーントリマー**は、箒作りに飛躍的な進歩をもたらし、それからしばらくの間、このほっそ

りしたアッシュ（とねりこ）の柄を持つ箒は、クィディッチ用箒として引っ張りだこであった。ムーントリマーが他の箒に勝っていたのは、なんといっても、それまでに出せなかった高度での飛行を可能にした点である。（しかも、その高さでもコントロールが可能だった）グラディス・ブースビイはクィディッチ選手の熱狂的需要に応える数のムーントリマーを製造することができなかった。新しい箒、**シルバーアロー**の製造が歓迎された。これこそ本当の意味で競技用箒の先駆けといえるだろう。ムーントリマーやオークシャフトよりずっとスピードが出た（追い風に乗れば、最高時速70マイル──約112キロ）。しかし、他の箒と同様、1人の魔法使い（レオナード・ジュークス）の手によるものだったので、需要が供給をはるかに上回っていた。

　突破口を開いたのは、オラートン家の3兄弟、ボブ、ビル、バーナビーで、1926年、クリーンスイープ箒製造会社が設立された。最初のモデル、クリーンスイープ1号は、かつてないほど大量に製造され、スポーツ用品として特別にデザインされた競技用箒が市場に出回った。クリーンスイープは、コー

ナリングのすばらしさがこれまでの箒の比ではなく、爆発的な人気を呼んだ。1年もたたないうちに、国中のクィディッチ・チームはすべてクリーンスイープに跨っていた。

　しかし、オラートン兄弟の競技用箒市場での独占的地位は長くは続かなかった。1929年には、ファルマス・ファルコンズのプレイヤーでもある、ランドルフ・キーチとバジル・ホートンによって、2つ目の競技用箒会社が、設立された。コメット商事の最初の箒は、コメット140で、この140という数は、キーチとホートンが発売までにテストしたモデルの数を表している。ホートン・キーチ制御術は、特許になっており、クィディッチ・プレイヤーがゴールを飛び越してしまったり、場外に飛び出したりするのを防いでくれる。その結果、いまやコメットは、イギリスやアイルランドの多くのチームのお気に入り箒となった。

　クリーンスイープ対コメット競走がしのぎを削るなか、改良型クリーンスイープ2号、3号がそれぞれ1934年、1937年に、コメット180が1938年に発売されたが、その間、別の箒製造業者がヨーロッ

パ中に次々と現われた。

　1940年、**ティンダーブラスト**が市場に姿を見せた。ブラック・フォーレストにあるエラビー・アンド・スパドモア社が製造したティンダーブラストは、コメットやクリーンスイープほどの最高速度は出なかったが、非常にバネのある箒だった。1952年、エラビー・アンド・スパドモア社は新型モデル、**スイフトスティック**を発表した。これはティンダーブラストより速かったが、上昇時にパワーを失う傾向があったので、クィディッチのプロ・チームに採用されることはなかった。

　1955年、ユニバーサル箒株式会社が**シューティング・スター（流れ星）**を発表した。いままでで最も安い競技用箒だ。残念ながら、初期の大ブームの後に、シューティング・スターは年月と共にスピードも高さも落ちてくることがわかり、ユニバーサル箒会社は、1978年破産した。

　1967年、ニンバス競技用箒会社の発足により、箒業界がにわかに活気づいた。**ニンバス1000**は、それまで見たことのない箒だった。最高時速100マイル（160キロ）に達し、空中に停止したまま360

度の回転が可能で、ニンバスは昔のオークシャフト79の信頼性と、最高級クリーンスイープの扱いやすさを兼ね備えていた。ニンバスはたちまちヨーロッパ中のクィディッチ・プロ・チームのお気に入りとなり、後続モデル（1001、1500、1700）は、ニンバス競技用箒会社の業界トップの座をゆるぎないものにした。

ツィガー90は1990年から生産され、メーカーのフライト・アンド・バーカー社は、マーケット・リーダーのニンバスにとって代わろうと目論んでいた。高級仕上げに加えて、「ホィッスル警報」内蔵、自動姿勢矯正ブラシなど、いくつかの新しい仕掛けがあったにもかかわらず、ツィガーは高速を出すと反ってしまうことが発覚し、常識よりガリオン金貨に物を言わせる魔法使いが乗る箒だという芳しくない評判をとってしまった。

第10章
今日のクィディッチ

クィディッチというスポーツは、いつの時代にも世界中の多くのファンをハラハラ、ドキドキさせ続けてきた。現在では、クィディッチ試合の切符を買えば、熟練の飛行者の間でくり広げられる、高度な技のしのぎ合いを堪能できること請け合いだ。(もっとも、試合開始後5分以内にスニッチが捕まってしまえばそのかぎりではない。この場合は、みんななんだか損をしたような気がする。)自分自身とゲームの限界に挑戦しようと燃えた魔女、魔法使いたちが、クィディッチの長い歴史の間に編み出した難しい技の数々を見れば、技のしのぎ合いというのも納得できるだろう。

ブラッジャー逆手打ち

ビーターがブラッジャーを打つ時、バックハンドで棍棒を振り、ブラッジャーを前方にではなく後方

に打つこと。正確に打つのは難しいが、敵を撹乱するには効果的。

ドップルビーター防衛

２人のビーターが同時に１つのブラッジャーを打つことで勢いをつけ、ブラッジャー攻撃が一層強烈になる。

ダブル８の字ループ

相手側がペナルティーを取った時によく用いられるキーパーの守備法。キーパーは３つのゴールの輪の周りを猛スピードで飛び回り、クアッフルをブロックする。

ホークスヘッド攻撃フォーメーション

３人のチェイサーが矢じりの形を組み、ゴールめがけて一緒に飛ぶ。敵に恐怖を与え、他の選手を蹴散らすのに、極めて効果的。

パーキン挟み

ウィグタウン・ワンダラーズ設立メンバーたちが編み出したといわれ、その名に因んで命名された動き。敵のチェイサーの１人を、味方のチェイサー２人が両側から挟み撃ちにし、３人目のチェイサーが挟まれたチェイサーに向かって正面から突っ込んでいく。

プランプトン・パス

シーカーの動き。うっかり曲がって飛んだように見せかけて、スニッチを袖ですくい取る。ロデリック・プランプトンに因んで命名された。タッツヒル・トルネードスのシーカーであるプランプトンは、1921年、かの有名な、記録的スニッチ早取りを、この動きを用いて成し遂げた。あれは偶然のなせる技だったのではないかと言う解説者もいるが、プランプトンはあれは意図してやったことだと死ぬまで言い張った。

ポルスコフの計略

クアッフルを持ったチェイサーが上昇飛行する。相手方チェイサーには、敵をかわしてゴールするように思わせる。ところが、下の方で待ちうけているもう1人の味方のチェイサーにクアッフルを投げわたす。正確無比なタイミングが鍵になる。ロシアのチェイサー、ペトロバ・ポルスコフの名に因んでこう呼ぶ。

逆パス

チェイサーが肩越しに、背後の味方の選手にクアッフルを投げる。正確に投げるのは難しい。

なまけもの型グリップ・ロール

ブラッジャーをよけるため、手と足とでしっかり箒を握りながら、箒から逆さまにぶら下がる。

ヒトデとスティック

キーパーの防御技。キーパーが片手、片足を箒の柄に巻きつけるようにして、箒を水平に保ち、両手

足を思い切り伸ばす（図G参照）。箒なしでは決して試してはならない。

図G

トランシルバニア・タックル

1473年のワールドカップで初めて目撃された。鼻にパンチをお見舞いするふりをする。実際に接触がないかぎり、この動きは違反ではないが、両者とも猛スピードの箒に乗っているので、この技をうまくやってのけるのは難しい。

ウロンゴング・シミー

オーストラリアのウロンゴング・ワリヤーズによって完成された。相手方チェイサーを振り切るための猛スピードのジグザグ動き。

ウロンスキー・フェイント

シーカーが遥か下方にスニッチを見つけたふりをして、地上に向かって急降下するが、競技場の地面にヒットする寸前に上昇に転じる。敵のシーカーに真似をさせておいて、地上に激突するよう仕向ける作戦。ポーランドのシーカー、ヨセフ・ウロンスキーに因んで命名された。

ガーティ・ケドルがクィアディッチの湿原で「例のバカども」を最初に見た時から、クィディッチが昔の面影を留めないまでに様変わりしてきたことは明らかだ。今日ガーティ・ケドルが生きていたら、あの彼女でさえ、クィディッチの持つ詩と力に身震いしたに違いない。クィディッチが今後ますますの発展を続けんことを！　未来の魔女、魔法使いたちが、末永く、この最も栄えあるスポーツを楽しまれんことを！

ホグワーツ校指定教科書Ⅱ
「クィディッチ今昔」

著　者　　J・K・ローリング
翻訳者　　松岡佑子
©2001　YUKO MATSUOKA
翻訳協力　ジェリー・ハーコート
　　　　　宇尾史子／村松夏子
編集者　　木田　恒
デザイン　小関　潤
発行者　　松岡佑子
発行　株式会社　静山社
　　　東京都新宿区新小川町6-40
　　　電話03-3267-6941　FAX03-3267-6940
印刷・製本　凸版印刷株式会社
2001年9月1日　初版第1刷発行

ISBN4-915512-44-4

Printed in Japan ©Say-zan-sha Pubulications Ltd. Tokyo 2001
　　　　　　　落丁本・乱丁本はお取りかえいたします。

メモ